JN069480

好きな人に触れたくなるのは、どうして？

北欧に学ぶ
恋愛とセックスの本

サビーネ・レミレ 文
ラスムス・ブラインホイ 絵
枇谷玲子 訳

HVAD ER SEX?

晶文社

HVAD ER SEX?

© Sabine Lemire & Rasmus Bregnhøi & Gyldendal, 2018 Copenhagen.
Published by agreement with Gyldendal Group Agency.
Japanese translation rights arranged with Gyldendal Group Agency
through Japan UNI Agency, Inc., Tokyo.

ブックデザイン　坂川栄治＋鳴田小夜子（坂川事務所）

医師のドーテ・スコウゴーと
心理士のリッケ・ユール、
話を聞かせてくれた大勢の保護者のみなさんと
子どもたちに感謝します。

はじめに──保護者のみなさんへ

セックスって、なんでしょう? 赤ちゃんはどうやってできるのか、子どもに話すのは、そうむずかしいことではありません。ですが、子どもをつくりたくない場合でもセックスすることはあると伝えるとなると、たちまちむずかしくなります。

　人生の大小の出来事については、日々の会話のなかで、さりげなく子どもに話せるものです。ところがセックスの話となると、尻込みする人が多いでしょう。愛の話は、ほかの話のように自然にできるものではない。子どもたちが成長し、愛やセックスに関心を持ちはじめたと感じる保護者の多くは、改まってきちんと話をしなくては、と思うものです。

　でも、愛やセックスについての疑問に、日々の会話のなかで、すべて答えるのは困難です。子どもの成長につれて、疑問や考えは常に生まれるものなのですから。なので、重要なのは、子どもが相談しやすい雰囲気をつくっておくことです。

　この『好きな人に触れたくなるのは、どうして?』が、そういった親子の会話の助けとなりますように。この本には、子どもたち

がこんなことを知りたいのか！　と親が驚くような、意外な情報も出てくるでしょう。子ども個人の話としてでなく、一般論として話しやすい題材も見つかるはずです。

　保護者のみなさんは、子どもと性欲について話す必要があるのかと、きっと疑問に思うことでしょう。なかには、成長するなかで自然に知ることをわざわざ話す必要はない、と思う人もいるでしょう。ですが、子どもたち自身が、なにをしたくて、なにが嫌なのか意思表示できるようになることが、かれらの将来のよりよい体験につながるのではないでしょうか。自分の欲求について口に出せるようになって初めて、ここまではよくて、ここからは嫌だと、境界線を引けるようになるのです。

サビーネより

04 ムズムズする時

05 これ、なんて呼ぶの?

06 セックスって、なんだろう?

01 ねえ、付き合わない？

恋

　親友とは、あなたがすごく好きだと思う相手のこと。たくさん話をして、いっぱい遊んで、いないとさびしくなってしまう——そんな相手。

　友だちのことが好きで仕方なくて、話をしたり、遊んだりするだけじゃ物足りなくなる時があります。

　その子が近くに来ると、胸がどきどきする。すると、あなたは恥ずかしさのあまり話しかけられても、なんて答えていいか分からなくなるかも。

　こうしてあなたは恋に落ち、さまざまなことを思い浮かべるようになるでしょう。キスしたいとか、手をつなぎたいとか、ありとあらゆる心地よいことを。恋って、目を開けたまま見る夢みたいです。

　相手のことが、頭から離れず、その子のことなら、なんでも知りたくなります。相手のそばにいても、満足できなくて、もっと近づきたいと感じます。好きな子とハグすると、髪や首もとからとびきりいい香りがして、とても気持ちがいいものです。

　恋をするって、すてきな気分。

恋をしているかって、どうしたら分かるの?

恋をすると、

1 すぐ、にやにやしてしまいます。
2 相手の名前を声に出して呼んでみると、いい気分になります。
3 相手が近くにいると、ついおかしな行動をとってしまいます。
4 いつもその子のことを考えてしまいます。
5 集中できなくなります。
6 できるだけ、そばに近づきたくなります。
7 しょっちゅうその子のことを、話題に出すようになります。
8 相手のSNSを何度もチェックしちゃう。
9 おしゃべりの途中で、相手に触れたくなります。

付き合ったら、なにをするの?

仲良しの友だちとすることと、変わりありません。
付き合ったら、

1 ありとあらゆることについて、おしゃべりするようになります。恋をすると、相手のことを、なんでも知りたくなります。
2 デートをします。たとえば散歩や、カフェに出かけたり。

3 キスをしたり、手をつないだりします。

4 おなじことに興味を持つようになります。もともといっしょにサッカーをしていたり、おなじチームに所属していたりして恋人になる人たちには、共通の趣味がすでにありますね。たとえ共通の趣味がなくても、映画を観たり、テレビ・ドラマを観たりするのは、どの子も好きなはずです。

付き合おうって、どうやって聞けばいい?

聞き方はさまざま。初めはいっしょにお出かけして、ゆっくり過ごすだけでいいのです。やがて、キスをするようになるかも。すると自然に、付き合おうって聞きたくなるでしょう。なかには、恥ずかしくて、かんたんには気持ちを打ち明けられないと思う子もいるかもしれません。

告白は、2人きりの時にしましょう。ほかの子たちがそばで耳をすませているような場面では、正直な返事がしにくいでしょう。

2人きりで自然に話せる機会をつくりましょう。たとえば、部活動の後、「いっしょに帰ろう」って誘ってみたら?

おもしろい絵文字を使ったメッセージや、自撮り写真を送るのもいいけど、それでは思いが伝わったか、確信を持ちづらいでしょう。ちゃんと伝わったかどうかも分からないのに、答えを待ちつづけるのには、根気が必要です。

逆に告白されたら、できるだけ早く答えてあげましょう。もち

ろん、よく考える必要はあるけれど、相手の気持ちを想像してみ
て。返事を待つほうは、きっと気持ちが落ち着かないはず。

失恋

　恋はうれしいことばかりではありません。好きな相手に好かれ
ていなかったら、あなたはすごく悲しくなるでしょう。相手がべ

つの人を好きなら、なおさらです。これを「失恋」と言います。
大人はほぼ全員、失恋したことがあり、それがとてもつらいこと
だと知っています。残念ながら、失恋はよくあることなので、そ
れをテーマにした映画もたくさんつくられています。

　失恋したての時は、永遠に悲しみが消えないような気がしま
す。お腹が痛くなって、「あんなすてきな人に、二度と出会えな
い」と思うかも。でも、人の気持ちは常に変化するものです。い
まは目の前が真っ暗でも、明日には希望の光がさすかもしれませ
ん。すこし時間はかかるかもしれないけど、明るい日がいつか再
び訪れることでしょう。

　失恋したら、

1 　気の合う子と、
　　いっしょにいるようにしよう。
2 　スポーツなど、
　　趣味に打ち込もう。
3 　信頼する相手に、
　　相談してみよう。

嫉妬

　恋に嫉妬はつきものです。好きな相手を失いたくないと思うのは、自然なことです。恋人がほかの子と楽しそうにしているのを見ると、つらくなるでしょう。ただし、恋人ができた途端、友だちを全員失わないように気をつけましょう。恋人といるのとおなじぐらい、友だちと過ごす時間もだいじです。

どうやって別れるの？

　恋人同士でいるのをやめるのを、「別れる」と言います。別れを切り出すのも、切り出されるのも、うれしいことではありません。

　面と向かって言いづらくても、別れの言葉はメールではなく、ちゃんと直接伝えたほうがいい。きちんとお別れするのが、だいじです。メールで別れの言葉を伝えるのは、いい別れ方ではありませんし、一方通行の会話では、誤解が生まれやすくなります。この時、いちばん気をつけなければならないのは、険悪な雰囲気にならないようにすることです。別れた直後は、相手が視界に入るだけで、つらいかもしれません。でもしばらくして、気持ちが落ち着いてくれば、悲しみは和らいでいくでしょう。

一度に複数の人と付き合ってもいいの?

　恋人以外とセックスしたり、キスしたりすることを、「浮気」と言います。恋人が浮気していると知った人の大半は、とても悲しくなります。あなたがもしも付き合っている人がいるのに、ほかの人とキスやセックスをしたくなったら、恋人にそう伝えるのが、いちばんよいでしょう。そうしたら付き合いつづけるかどうか、話し合えます。

　一度に複数の人と付き合う人もいます。うそをつかず、本人たちがハッピーなら、問題ありません。ただし、デンマークの法律では、複数の人と結婚するのは認められていません。日本でもおなじです。

保護者の
みなさんへ

● 幼稚園でも、恋人ごっこをする子はいます。付き合うと言っても、あくまで子ども同士。特別なことをするわけではありません。

● 大人の愛の定義を、子どもに当てはめようとするのは、やめましょう。

● 恋人になるってどういうことか、日々の会話のなかで、お子さんと自然に話すようにしましょう。付き合うのはどんな感じかも、ついでに聞いてみましょう。友だちと恋人のちがいはなにか? 恋って、どんなものかも。

● 子どもに恋人となにをしているのか聞く時は、慎重に。まだ親に話す心積もりができていないことを聞かれると、子どもは境界線を踏み越えられたと感じるかもしれません。どこまでなら話したいと思っているかを感じとり、配慮して質問するようにしてください。よいアドバイスをしようと意気込みすぎると、心の扉を閉じられてしまうでしょう。

● お子さんが失恋に苦しむ様子を目の当たりにすると、つらくなるかもしれません。ご自分が若かったころの思い出を話すことで、お子さんを励ますことができるかもしれませんが、ハグをしたり、気にかけたりするだけで、十分な場合もあります。話をしたければ、いつでも聞くよ、とさりげなく伝えたり、気晴らしになりそうなことを提案したりしてみましょう。

02 どうして大人は セックスするの？

セックスする理由

　大人は恋をしたり、おたがいに惹かれ合うと、キスしたり、セックスしたりしたくなることが多いです。

　それには2つ理由があります。

1　気持ちいいから。
2　子どもをつくりたいから。

　大人が子どもをつくりたければ、月の特定の期間にセックスしなくてはなりません。女性は生理と生理のちょうど真ん中の期間しか、妊娠できません。赤ちゃんは毎月、決まった数日間にしか、できないのです。

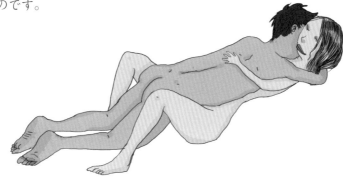

楽しい夜

　楽しくて、いい気持ちになるので、大人は大体みな、セックスが好きです。セックスをすると、おたがいに快感をあたえ合うこともできます。なので、大人はたとえ赤ちゃんがほしくなくても、セックスをします。赤ちゃんがほしくない場合は、避妊具を使って、妊娠を防ぎます。

◉ お子さんとセックスについて話しづらいかもしれません。子孫をのこすためではなく、快楽のためにするセックスについてはなおさら。セックスについて質問するのは恥ずかしいと思わせないために、自然な感じで話すことがだいじです。あなたが話しづらそうにすると、子どもはそれを感じとり、話しづらいと思うようになります。「心配ごとや、知りたいことがあれば、いつでも話を聞くよ」という姿勢を、子どもに示してもよいでしょう。

◉ 成長の速さは、子ども1人1人、ちがいます。分かりやすい言葉を使うようにしましょう。またどこまで詳しく話すかも、慎重に考えましょう。子どもが興味を持っているか、聞きたいと思っているか、様子をうかがいましょう。準備がまだできていない段階で、情報をあまり急いであたえてしまうと、子どもはその情報を持て余してしまいます。逆に、思った以上に子どもの成長が速く、驚くこともあるでしょう。びっくりしたとしても、子どもに罪悪感をあたえないよう、表情に出さないようにしましょう。

03 キス

··

キスをしたくなる

　恋をすると、キスをしたくなる人が多いです。あなたが家族とするようなキスではなく、口にするキスを。おたがいを感じるためのキス。恋人同士、舌をからめるキス。これを「ディープ・キス」と言います。若者や大人の大半は、このキスが好きです。

　キスには種類がたくさんあります。それぞれのキスに、ちがった意味があり、さまざまな場面で行われます。国によって、キスの仕方も異なります。

　ただ、どのキスも、好きな相手とするのはおなじです。

　家族同士の場合、ほっぺにキスすることが多いです。子どものおでこや髪にキスする大人もいます。お父さん、お母さんが、子どもの口にキスすることもあります。

　一方、恋人同士の場合は、口にすることが多く、時に舌も使います。舌を使って長いことキスしていると、全身に快感が走ります。大人はセックスの時も、キスをします。

恋をしていないと、キスしちゃいけないの？

恋をしていないと、キスしてはいけないのか？　そんなことは
ありません。相手の男の子や女の子に恋していなくても、キスし
たくなることはあるでしょう。

ディープ・キスをしたことがない子は、興味本位でやってみた
いと思うかもしれません。恋をしていなくても、キスしてよいの
です。ただしその場合、つぎの2つのことをおぼえておきましょう。

1　相手から無理やりキスされるのも、あなたが無理やりキスす
　　るのもいけません。
2　相手を気づかいましょう。相手があなたのことをすごく好き
　　だけど、あなたは好きじゃない場合、キスするのはやめてお
　　きましょう。そこでキスしてしまうと、相手は恋人になれる
　　と勘ちがいしてしまいます。

文化によってちがうキス

東南アジアをはじめ多くの地域では、道や公園など、公共の場
所ではキスしません。一方、フランスでは、あいさつとして、ほっ
ぺに何度もキスをします。何回キスするかは、地方によって異な

ります。2回する地域もあれば、8回近くする地域もあります。そんなにたくさんキスするには、時間がかかりますね。昔は男性が女性にあいさつとして、手にキスをしました。

嫌と言っていい

　お母さんやお父さん、親戚（しんせき）のおばさんからキスされるのが嫌なら、嫌って言っていいです。あなたがだれと、どんなキスをするかは、あなたに決める権利があるのだから。

キスの種類

投げキッスは、
ちょっとしたあいさつです。
自分の指先にキスして、
そのキスを相手に投げます。

プレッシャー・キスは
おそらくもっとも
<ruby>一般<rt>いっぱん</rt></ruby>的なキスでしょう。
<ruby>唇<rt>くちびる</rt></ruby>を閉じ、
口にするキスです。

スメル・キスは、
口と口ではなく、
鼻と鼻をこすりつけ合って
するキスです。

ディープ・キスは
好きな相手、または
すごく好きになった
相手にするキスです。
2人とも口を開き、時に
相手の体に触れながら、
舌と舌をからませます。

バタフライ・キスは、口を使わないので、
本当のキスじゃありません。相手のほっぺに目を近づけ、
何度もまばたきします。
そうすると、まつ毛がほっぺに触れ、
蝶が羽をばたつかせているような、
くすぐったい感覚になります。

ハンド・キスは、
手に軽くするキスです。

スマック・キスは、たとえば

おばあちゃんにするように、

大きな音を立てて

するキスです。

SMSキス

SMSでキスを送ることもできます。

キスしている顔文字や、
唇(くちびる)の絵文字もあります。

ファースト・キス

　みなさんのほとんどは、ファースト・キスが楽しみなような、ちょっぴり怖いような気がしていませんか？「どうやってキスするんだろう？」「相手がキスしたいかどうか、どうしたら分かるんだろう？」「唇を離すタイミングは？」って。

　でも大丈夫。やってみれば、なんとなく分かるはず！　キスのちょっとした合図として、いつもよりちょっぴり長く、じっと相手の目を見つめるとよいでしょう。

　よいキスとは、おたがいを感じ合えるキスです。

　初めは口にそっとキスし、しばらくしたら口をちょっぴり開けてみて、相手が舌も使いたいのか様子をさぐってみましょう。初めは、舌の先が触れる程度に、そうっと、そうっと。段々、もっと長い間キスをして、相手の唇を感じたいと、2人とも思うようになるかもしれません。

34

● お子さんにキスする時には、あなたのキスが歓迎されている
か、それともハグのほうがいいのか、お子さんの出す信号を見
逃さないようにしましょう。

● 子どもたちがふざけてキスし合ったり、体を触り合ったりするの
を禁止している保育所もあります。もちろん、境界線を踏み越
えないようにすることはだいじです。子どもたちが自分で境界
線を引けるようにすることも。子どもの好奇心にふたをしてしま
うと、大人の見えないところで、隠れてするリスクが増します。
そうなるぐらいなら、オープンに話をし、お子さんが嫌なことは
嫌と言えるよう、サポートしましょう。

● ファースト・キスをすませた子どもや若者は、世界があらたに
開けたような感覚になるでしょう。なにもかも、分からないこと
だらけ。親は子どもたちに、いつ、どこでキスするものなのか、
時にヒントを出してあげる必要があるのかもしれません。数学
の授業の最中に、長くて濃厚なキスをするのはヘンだよね、と
か。

04 ムズムズする時

自分の体に触れるのは普通のこと

性器を触りたくなるのは、普通のことです。きっかけは、さまざま。好きな相手のことを考えている時とか、なにか目に映ったり、考えたりしたことで、性器のあたりが、ムズムズしてくることもあります。

自分の性器に触れることを、「オナニー」と言います。女の子はクリトリスやそのまわりに触れると、気持ちよく感じることが多いです。男の子は、ペニスやそのまわりに触れると気持ちよくなります。

オナニーは、恥ずかしいとか、ヘンだとか思えるかもしれませんが、実はごく普通のことなんです。ほとんどの人が、オナニーをしています。そして、それはよいことです。だって、自分の体を知れるのですから。自分の体を知って初めて、自分はなにが好きで、なにが嫌なのか、分かります。自分の体のこと、ここから先はされたくないという境界線を知ることで、「それは試したくない」と断りやすくなります。どこを触られるのが好きか、嫌いか、言っていいのです。

隠れてするのは、ヘン?

　オナニーはごく個人的な行為です。なので、1人の時にしましょう。ほとんどの人がオナニーするのに、こそこそ隠れなくちゃいけないなんて、ヘンだと思いますか?　でも性的な行為は、個人的なものです。オナニーしているところを見られるのは恥ずかしいでしょうし、ほかの人がいっしょにどうこうできるものではありません。

保護者の
みなさんへ

● 子どもがどの時期に、自分のセクシャリティに気づくかは、個人差があります。ですが、オナニーは普通どの子もするものです。幼い子もオーガズムを感じます。子どもがいつ自分の性を意識するようになるかには、個人差があります。子どもが最初にするオナニーは、大人とちがい、性的意味合いを持ちません。体のどこに触れると気持ちよく、リラックスできるのか、さぐっているだけなのです。

● お子さんがオナニーしているのに気づいても、あまり驚かないでください。自分の体を触るのは、普通のことなんだよ、とポジティブに話してみてください。

● オナニーはごく個人的なものだから、1人の時にするように、とも伝えましょう。

● ほかの人がいる前で、お子さんがオナニーをはじめてしまったら、1人になるまで待つよう言うか、ほかのことをするよう提案してみましょう。この時、子どもに恥をかかせないようにすることが、だいじです。

● 子どもがやけに頻繁にオナニーしているようなら、理由をさぐりましょう。満足感を得られず、触りつづけているのかもしれません。悲しみを癒やそうとしていることもありえます。自分の体を触ることで、大人の注意を引こうとしているのかもしれません。

● 子どもの生活に占めるオナニーの割合が高すぎると感じたら、医師に相談してみましょう。

05 これ、なんて呼ぶの?

性器のことを、なんて呼ぶの?

　わたしたちの性器には、さまざまな名前がつけられています。たくさんありすぎて、どれが正しい呼び名か、大人ですら分からなくなるほど。時には、性器の名前が人をののしる言葉として使われることもあります。自分の体の部位を表す言葉が、ネガティブな意味で使われるのは、ヘンに思えるかもしれません。

つぎに、わたしたちの性器を示す言葉を挙げます。なかには、まったくべつの呼び方がされている場合もあるかもしれません。どれが正しくて、どれがまちがっているということではありません。

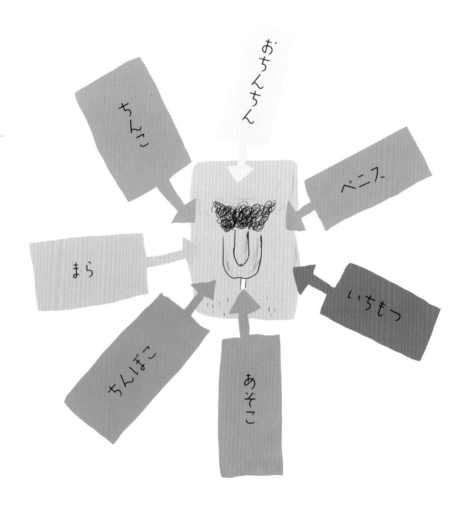

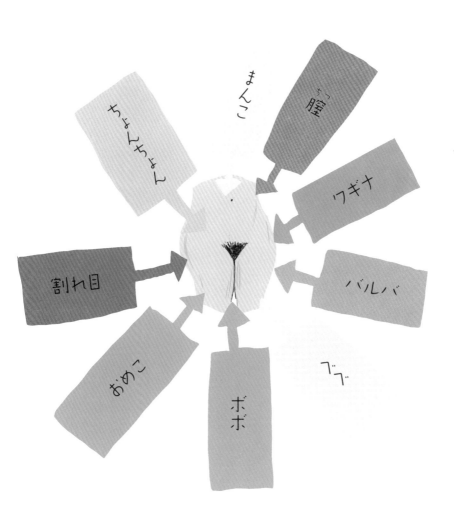

「セックスする」って、べつの言葉でなんて言う？

性交を表す言葉も、たくさんあります。

● セックスする
● 肉体関係を持つ
● 愛し合う
● 1つになる
● 性交する
● ヤる
● エッチする

保護者の
みなさんへ

- お子さんとセックスについて話す際、使う言葉は、家庭によってちがいます。わたしは子どもに性器について話をする時、おちんちんとか、おしっこするところなどと呼ぶのを、自然に思います。大人の性器も子どもの性器とおなじように呼ぶのはおかしな気がします。大人の性器を指す場合、ペニスとかワギナという言葉を使います。

- この本では、性交を表すのに、主に「セックスする」という言葉を使っています。セックスというのは、どうやって子どもをつくるか表現するのにも、性欲について話すのにも適した、包括的で中立的な表現です。

- 子どもが嫌がらないようなら、自分の性器に名前をつけさせて、それを呼び名として使うようにしてください。時に言葉で境界線を踏み越えてしまうこともあるので、どの言葉を使うのがいちばん抵抗がないか、さりげなく聞いてみましょう。

06 セックスって、なんだろう？

おたがいの体に触れ合う

　好きな人ができると、くっついて寝たり、キスをしたり、体に触れ合ったりしたくなる人が多いです。

　キスしたり、おたがいの体を触ったりしていると、セックスの準備をさせるホルモンが、体内に分泌されます。

　セックスしたくなることを、「ムラムラする」と表現することがあります。ムラムラするのは、性器に触れた時だけではありません。体のべつの部位を触ることで、欲情する場合もあります。わたしたちの体には、性感帯が複数あります。

　性感帯とは、触れられたりキスされたりすることで、セックスしたくなりやすい体の部位です。胸やお尻、首など、さまざまな場所が性感帯になりえます。

　どこを触られるのが好きかは、人によってちがいます。そのため、おたがいの好みをゆっくり知ることがだいじです。そこが気持ちよければ、人とちがっても、なにも問題ありません。人はたいてい、体中どこであっても、触られると気持ちよくなります。

性的に興奮すると……

　性的に興奮すると、血がめぐり、ペニスが大きく、硬くなります。女性も興奮すると、膣に血がめぐり、やわらかくなります。同時に膣内にも粘液が分泌され、ぬれてきます。これらは、セックスを心地よくするために起きる現象です。

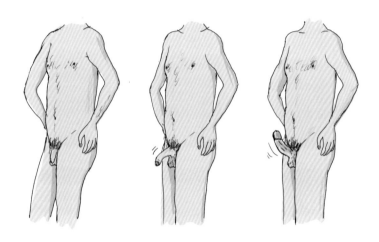

　キスして、体を触り合った後、男の人のペニスを女の人の膣に入れます。膣にしばらく入れておくと、ペニスから精子が出てきます。これを「オーガズムに達する」と言います。男の人も女の人も、オーガズムに達します。オーガズムとは、快感のピークのことです。セックスでもっとも快感が高まるのは、オーガズムに達した瞬間です。

精子は男性のペニスから、女性の膣へと入っていきます。

　精子は子宮口から子宮に入っていき、卵管を通り、奥へ進んでいきます。卵管のなかで精子と成熟した卵子が出会うと、おたがいに融合し、受精卵が誕生します。

　受精卵ができるのは、1カ月のうち、ほんの数日だけ。セックスするたび、受精するわけではありません。

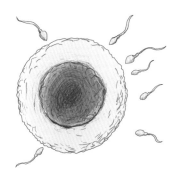

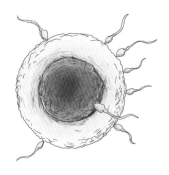

セックスに含まれるすてきなこと

　ペニスを膣に入れることを、「性交」と言います。でもセックスは、性交だけを指すわけではありません。ほかにも2人でいろいろとすてきなことができます。

　おたがいの体を触り、キスすることを「ペッティング」と言います。ペッティングすることで、体は性交の準備に入ります。ペッティング（Petting）とは、なでるという意味の英語です。たがいの体全体を指や唇、舌でなでます。体を触ったり、なでたりし合うことで、性器を挿入せずとも、オーガズムを感じることはできます。ペッティングは、性交前に相手の体を知るよい方法です。

　男性は性交中、または前戯の時に、ペニスに触れることで、オーガズムを感じることができます。女性もクリトリスに触れることで、オーガズムを感じられます。男性がペニスを膣のなかで動かすと、女性もオーガズムを得られます。膣には、Gスポットと呼ばれる場所があり、性交の際にここを刺激されることで、女性は快感の絶頂に達します。これを「膣オーガズム」と言います。

自分の欲求を知る

　ひょっとしたらあなたは、クラスのだれかとキスするところを
想像したことがあるかもしれません。大半の人は、さまざまな事
柄について想像することができます。あなたは、なんでも想像で
きます。想像する内容は、実際にしたいことでなくてもよいです。
ですが、実際にはしたくないことでも、想像することで、性的に
興奮するかもしれません。想像することは、あなた自身や、あな
たの欲求について知る助けとなります。

　欲求は性交をよい体験にする上で重要ですが、セックスの前に
キスしたり、体を触り合ったりすることもたいせつです。あなた
が不安になったり、嫌だと思ったりしたら、いつでも嫌と言って
いい。嫌と言うのに、遅すぎることはありません。初めはしたい
と思ったけど、途中で嫌になった場合も、断っていいのです。セッ
クスは激しい感情を伴いますが、あまり夢中になりすぎないよう

にしましょう。ほかのさまざまなすばらしい体験にも、時間をさきましょう。自分の境界線を知り、あえて断るのもだいじです。

おぼえておきたいこと

　女の子は初めてセックスする時、すこし血が出ることも、出ないこともあります。処女膜と呼ばれる膣の入り口の粘膜が、わずかに裂けることで、血が出るのです。また膣にペニスを入れるのをやや急ぎすぎた場合、膣壁から血が出ることもあります。ですが大半の子は、初めてセックスする時も、痛みを感じることも、血が出ることもありません。

　思春期には、さまざまな変化が起き、セックスへの欲求が静かに、穏やかに育まれていきます。12歳と14歳では、大ちがいです。準備がまだできていないのに、背伸びしないことがだいじです。デンマークの性的同意年齢は15歳。つまり、15歳になるまでは、セックスしてはならないということです。セックスするには、自分の境界線を知っている必要があるからです。この法律は、15歳以上の人たちによる性的搾取から、15歳未満の子どもを守るためにあります。なので15歳未満の子ども同士がセックスしても、罰されません。（訳注：日本の性的同意年齢は13歳。引き上げが必要という議論もある）

あなたって、すてき

　セックスと心はおおむね、つながっていると言えるでしょう。セックスをすると、特別な絆が生まれます。おたがいの体をそれまでと、まったくちがったふうに知れます。セックスした人同士が、おたがいにいたわり合うことがだいじです。たとえキスまででとどまったとしても、その体験は2人の秘密にしておくべきです。性についての打ち明け話は、盛り上がるかもしれませんが、キスや恋愛は、本人同士の心にしまっておくべき、かけがえのない行為です。とはいえ、親友1人にだけ、打ち明けたいと思うかもしれませんね。あなたのパートナーもその体験の当事者で、プライバシーがあることを忘れなければ、問題ないでしょう。

保護者の
みなさんへ

● セックスは、子どもと話しやすい話題ではまったくありません。たいせつなのは、子どもたちが自分自身をだいじにするために必要な情報をあたえることです。お子さんがあなたとセックスについて話すのを嫌（いや）がっているのが分かったら、ほかの大人と話す機会をもうけてもよいでしょう。体や発達についてアドバイスがほしいなら、医師や健康センターの相談員に相談できるとも伝えておきましょう。未成年であっても、1対1で医師と話せます。子どもが匿名（とくめい）で話をしたい場合には、「子ども相談窓口」に電話することもできます。

● セックスや感情についてオープンに話すようにお子さんに強要することはできませんが、「必要ならいつでも話を聞くよ」という姿勢を示すことはできるはずです。話のタイミングをうかがいましょう。映画や本などで、セックスについて触（ふ）れられているかもしれません。子ども本人とはすこし離（はな）れたことから軽く話をはじめてみて、そこから自分たちに引き寄せていくとよいでしょう。

07 卵子と精子

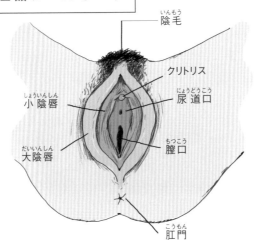

女性の性器はこんなふう

陰毛（いんもう）

クリトリス

小陰唇（しょういんしん）

尿道口（にょうどうこう）

大陰唇（だいいんしん）

膣口（ちつこう）

肛門（こうもん）

　大陰唇（だいいんしん）の内側には、小陰唇（しょういんしん）があります。小陰唇の先っぽにあるクリトリスは、男性のペニスとおなじように敏感（びんかん）です。クリトリスに触（ふ）れると、オーガズムに達しやすいです。性器の内側にも、オーガズムに達しやすい場所があります。

　膣（ちつ）の入り口には、表面がちょっとでこぼこした粘膜（ねんまく）があります。これは「処女膜（しょじょまく）」と呼ばれてきましたが、実際のところ、膜のように完全に膣口（ちつこう）をふさいでいるわけではないので、適切な呼び名ではありません。

内性器

　女性の卵巣には、赤ちゃんの時点ですでに 30 〜 40 万個の卵子があります。卵子は、卵胞という小さな袋に入っています。思春期を迎えるまで、卵子は活発にはなりません。思春期には、生理周期に合わせてホルモンが活動をはじめます。これを「卵子の活性化」と言います。1 周期は、28 日前後（26 〜 34 日）です。1 周期に 1 度、成熟した卵胞から卵子が排出され、2 つのうち 1 つの卵巣に入っていきます。これを「排卵」と呼びます。卵子は、卵巣からさらに、卵巣と子宮をつなぐ小さな運河である卵管を進んでいきます。この卵管で、卵子が精子に出会うと、女性は妊娠します。受精卵は子宮の内側に着床します。

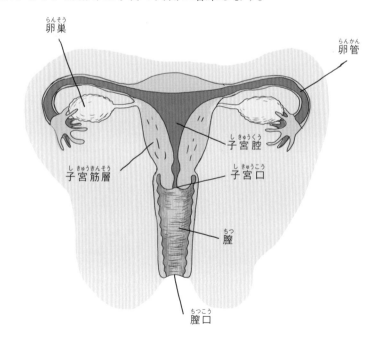

卵巣

卵管

子宮腔

子宮筋層

子宮口

膣

膣口

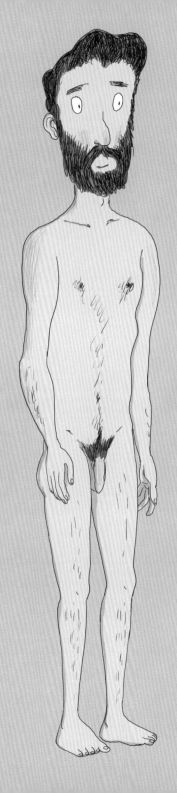

男性の性器はこんなふう

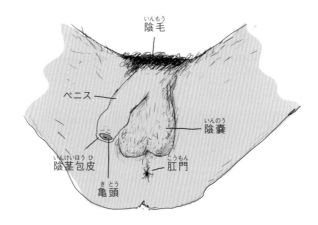

陰毛

ペニス

陰嚢

陰茎包皮

肛門

亀頭

陰嚢の中には、睾丸が２つ、副睾丸が２つ入っています。陰嚢とは、男の子の股間についているペニスの裏側にぶら下がった皮の袋のことです。赤ちゃんをつくるのに必要な精子は、睾丸でつくられます。幼い男の子はまだ精子をつくれません。精子がつくられはじめるのは、思春期になってからです。

亀頭には、引っ張り上げたり、下ろしたりできる皮があります。これを「陰茎包皮」と言います。亀頭は敏感で、陰茎包皮で守られています。

ペニスのなかには、海綿体があります。性的に興奮すると、海綿体に血がめぐり、ペニスは大きく、硬くなります。これを「勃起」と言います。

おしっこも精子もどちらも、ペニスの尿道から出てきます。性的に興奮している時は、ペニスからおしっこは出ません。セックスをしている時もおなじです。

　男女がセックスすると、男性のペニスから女性の膣へと精子が入っていきます。

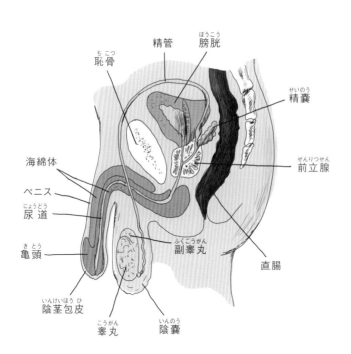

精管　　膀胱

恥骨

精囊

海綿体

前立腺

ペニス
尿道

副睾丸

亀頭

直腸

陰茎包皮

睾丸　　陰囊

精子または精液

　精子を含む液体を「精液」と言います。射精の直前、精子が精管を通り、前立腺へと運ばれます。前立腺内で、精嚢からの分泌液と前立腺液が混ざり合うことで、精液がつくられます。前立腺液は精子を活発にし、ペニスの先っぽまで運ぶ役割を果たします。

保護者の
みなさんへ

● 1970年代は今より裸_{はだか}に抵抗_{ていこう}がない人が多かったようです。当時はシャワーの後にお風呂場_{ふろば}から裸で出てくるのは、自然なことでした。一方、最近の人たちは、体を見せ合うのを恥_はずかしがる傾向_{けいこう}があるようです。多くの家庭では、子どもが6〜8歳_{さい}ぐらいになると、裸を見ないようにし、親も子どもに裸を見せなくなるようです。

● 裸でいることをどの程度自然と感じるかは、人によってちがいます。とは言え、自分たちの体の働きや見た目について、子どもと話すのがだいじであることに変わりありません。

● 体を自然なものととらえていないと、体について質問しづらくなるでしょう。

● お子さんの体の成長を見守り、成長の仕方について、言葉で解説してあげるようにしましょう。体が急激に変化していくと、それがごく普通_{ふつう}のことでも、子どもは不安になってしまうものです。

08 あなたの体は成長していく

成長の速さは、みなちがう

　あなたの体は、子どもから大人へと大きく変化していきます。自分の体が変わっていくのを、怖いとかヘンだとか感じるかもしれません。ですが、将来、子どもをつくれるようになるために、この変化は必要です。

　体の成長の速さは、かなり個人差があります。たとえば、胸が膨らんだり、ひげが生えたりするのが、自分だけ早すぎたり遅すぎたりするのは嫌だと、みな思うものです。成長の速さを決めるのは、あなたの遺伝子で、あなたには決められません。遅かれ早かれ、あなたはいつかは、大人になります。

ホルモンがもたらす変化

　脳では、あなたの体と心に変化をもたらすホルモンが分泌されます。思春期になると、生殖器を成長させ、成熟させる性ホルモンが生成されます。

脳の中央にある視床下部は、脳下垂体（脳内の腺）に、性ホルモンをつくれと指令を出すホルモンをつくります。性ホルモンは、脳内にあるうちは女の子と男の子で差はありません。性ホルモンは血液によって、卵巣または精巣に運ばれ、そこで受容体と結合することで、男性ホルモン、または女性ホルモンの分泌が促されます。

　男の子にはテストステロンをはじめとした男性ホルモンが、女の子にはエストロゲンのような女性ホルモンがつくられます。

　思春期に気持ちが不安定になるのは、普通のことです。悲しくなることもあれば、時に激しい怒りをおぼえることもあります。体と脳が成長することで、気持ちに変化が起きるのです。

女の子の体になにが起きる？

あなたの体は成長しはじめます。まずは乳首がぽっこり膨らんできます。それから、もうすこし硬い膨らみができてきて、押すと痛みを伴います。

脇の下とワギナにも毛が生えてきます。足の毛も目立つようになります。

肌も髪も脂っぽくなってきます。

体型も変わってきます。赤ちゃんを産めるよう、腰幅が広くなります。こうして体が生殖の準備に入ります。

スポーツをしたり、動いたりした後、汗臭くなるかもしれません。やがて生理を迎えます。

生理

生理（月経）とは、月に1度、ワギナから出血することです。子宮の内側には、粘膜があります。妊娠していなければ、この膜のいちばん外側の層が、生理の時にはがれます。一方で、受精卵はこの粘膜に引っかかり、とどまりつづけます。妊娠すると、生理が止まるのはそのためです。詳しくは77ページを見てください。

生理周期は、28日前後（26〜34日）です。出血は3〜7日、

つづきます。生理と生理の真ん中、つまり直近の生理がはじまってから 14 日目に、排卵が起きます。妊娠できるのは、この時期です。

　生理が来る前、「おりもの」が増えます。おりものは、子宮頸管から分泌される黄白色の液体です。

　生理の時は、ナプキンやタンポンを使います。ナプキンはパンツにセットします。ナプキンは血を吸収してくれます。どれぐらい頻繁に替えるべきかは、経血の量によります。タンポンは膣に入れるものです。きちんと挿入できていれば、違和感はありません。ひもを引っ張って取り出せ、頻繁に取り替えられます。8 時間以上入れっぱなしにしておくと、バクテリアが繁殖し、病気になりかねません。セックスをしたことがない人も、タンポンを使えます。

　生理が何日に来たか、メモしておきましょう。生理開始日が分かれば、ナプキンやタンポンを事前に準備しておけます。自分の生理周期を知ることで、生理が規則正しく来ているか知れて便利です。生理不順は、とくに 10 代のみなさんには、珍しいことではありません。ですが、あまりに不順だったり、不正出血に気づいたりしたら、お医者さんに相談してみるとよいでしょう。

　生理痛になる子もいます。生理痛になると、お腹がきりきりと

痛みます。あまり気が進まないかもしれませんが、体を動かすことで、痛みが和らぐこともあります。生理前には悲しくなったり、機嫌が悪くなったりする人もいます。これは PMS（月経前症候群）と呼ばれるもので、ホルモンが原因です。

男の子の体になにが起きる?

脇の下とペニスのまわりに毛が生えてきます。胸に毛が生えてくる人もいます。

鼻の下にも、うっすら毛が生えてきます。それがさらに濃くなると、ひげになります。

背中や陰嚢のまわりにも毛が生えてくることも。

ペニスや陰嚢が大きくなってきます。

スポーツをしたり、動いたりすると、汗臭くなるかもしれません。

肌や髪から、皮脂がたくさん分泌されるようになります。

上半身にも変化が生じます。胸板が厚く、肩幅も広くなります。

思春期になると、声も変わります。低くなって、大人の男性の声に近づいていくのです。喉にも変化が出てきます。こぶのような出っ張りが、目立つようになります。これを「喉ぼとけ」と言います。

おちんちんが、いつの間にか勃起してしまうこともあるでしょう。あなたの意志に反して、ペニスが硬くなってしまうことが。それは、かならずしもあなたがセックスしたいからではありません。好きな相手が目に入ったり、自転車のサドルにこすれたりして、体が反応しただけかもしれません。思春期の体には、ホルモンが満ちていて、ちょっとしたことで反応してしまうのです。場

68

ちがいなタイミングで、いきなり勃起してしまうと、気まずいか
もしれません。でも年を重ねるにつれ、そういうことは減ってい
きます。

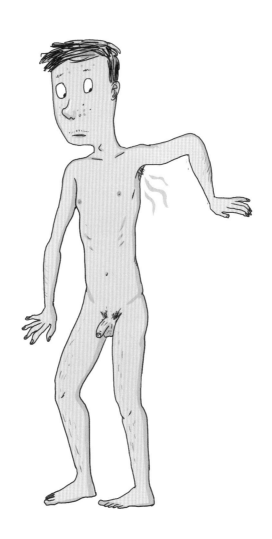

性的な夢

　男の子も女の子も性的な夢を見ることがあります。それはごく普通のことです。男性と女性どちらの性器も、夜中は、血液量が増えるという研究結果が出ています。そうすると男性のペニスが硬くなり、女性のクリトリスは膨らみます。

　男性の場合、夢精することがあります。これは性器を触っても触らなくても起こり、ちっともおかしなことではありません。女性も寝ている間、性器を触っていないのに、オーガズムに達することがあります。

保護者の みなさんへ

● 思春期の初めには、お子さんにお風呂に入りなさいとか、髪を洗いなさいとか、制汗剤を使いなさいなどと言わなくてはならないかもしれません。ですが、恋やセックスに興味が湧いてくると、自分から身だしなみに気を配るようになるでしょう。身だしなみや衛生面について、なにかアドバイスが必要ないか、お子さんに聞いてみましょう。

● ムダ毛の処理や生理やそのほかの身だしなみについて、親にアドバイスを求めるのは、恥ずかしいと思う子もいるかもしれません。話をする適切なタイミングをうかがいましょう。「だいじな話」だと身構えるのではなく、自然な会話を心がけましょう。子どもたちは会話をするなかで、自然と疑問をいだくようになるのです。

● 第2次性徴の進み方は1人1人、ちがいます。あまりに早すぎたり、遅すぎたりすると、心配になるかもしれません。成長について心配なことがあれば、いつでも医師に相談してください。

● お子さんがあなた以外から情報を得られる機会もつくってあげましょう。参考になりそうな文学作品を渡すことで、親とは話しにくい事柄について、自分でこっそり調べられるようにするのもよいでしょう。

09

見た目はみな、ちがう

自分の体に満足してる?

人はたいてい、自分の見た目に不満があるものです。もっと筋肉質だったらよかったのにとか、髪がもっと茶色かったらよかったのにとか、もっと胸が小さければよかったのにとか、もっとやせていたらよかったのにとか。自分の体が成長していくのに、慣れるまで戸惑ってしまうのは、ごく当然のことです。

わたしたちはそれぞれ、ちがった見た目をしています。やせていたり、太っていたり、背が低かったり、高かったり、1人1人個性の異なる自分の体と、良好で自然な関係を築くことが重要です。

あなたが、もしも自分の体をおかしいと感じたり、気に入らなかったりするとすれば、不都合が生じるでしょう。セックス以外にもさまざまな場面で。自分の体に満足しよう、と言うのはかんたんですが、自信というのはそうそう持てるものではありません。ただ、つぎのことをどうか心にとめておいてください。

1 体に正しいも、まちがっているもありません。人の体は、それぞれちがっています。映画やファッション雑誌やコマーシャルで理想的な体型を目にするかもしれませんが、現実にあんな体をしている人はいません。

2 大半の人は、思春期の時、自分の体に自信が持てません。自信満々に見える人も、もっとこうだったらよかったのに、と思っているものです。

3 ほかの人から言われる言葉を気にしてくよくよするのは時間のむだです。あなたにとって、なにが正しいのか、さがせばいいのです。

体について話してみよう

　自分の体について分からないことがあれば、いつでも大人と話をしてみましょう。子どもから大人になる過程では、いろいろ理解しがたいことが起きます。体の面でも、心の面でも。ほかの人と話をすると、幸いなことに、ほかの人も自分とおなじように感じていると気づくことでしょう。

保護者の みなさんへ

● 自分の体についてポジティブに話すよう、お子さんを励まし<ruby>励<rt>はげ</rt></ruby>ましましょう。ほかの人の体を批判したり、他人の見た目についてあれこれ言ったりするのは、やめましょう。どんな体にもそれぞれの価値があると伝えましょう。

● 自分の体について知るよう、<ruby>促<rt>うなが</rt></ruby>しましょう。自分の体と能動的に関わることで、内面と体、どちらにも、より大きな喜びを感じるでしょう。

● お子さんの前で、ご自身の体を批判するのはやめましょう。自分の体とよい関係を築くためには、体について健全なイメージを持つことがたいせつです。体というのは、みなそれぞれちがっていて、みな独特であり、それでいいのだと伝えるとよいかもしれません。

10 妊娠と出産 ....

妊娠とは

　女性の卵子が受精卵になることを、「妊娠」と言います。妊娠
期間は40週です。最後に生理が来た日、つまり卵子に精子が受
精する2週間前から数えます。

　受精卵が2つに分かれて、両方が成長すると、一卵性双生児
になります。2つの卵子が同時に成熟し、両方が受精すると、二
卵性双生児になります。

　卵子と精子には、親の遺伝子情報が組み込まれています。

　遺伝子は、子どもがどんな見た目になるかを決めるものです。
女の子になるか、それとも男の子になるか、どんな目の色、どん
な髪の色になるか。あなたは両親の遺伝子を引き継ぎます。

　妊娠期間は、3つに分けられます。

妊娠初期

　受精卵は、子宮にとどまります。そこで卵子は、養分を吸収し、
大きく成長します。

初期の胎児を、「胎芽」と言います。細胞は分裂し、成長し、卵の真ん中に小さな板が形成され、これが後に胎児になります。

受精の3週間後には、胎児は3ミリの大きさになり、心臓や脳の原型ができあがってきます。

4週間後には、頭が形成されはじめ、やがて小さなこぶができ、これが後で腕や足になります。

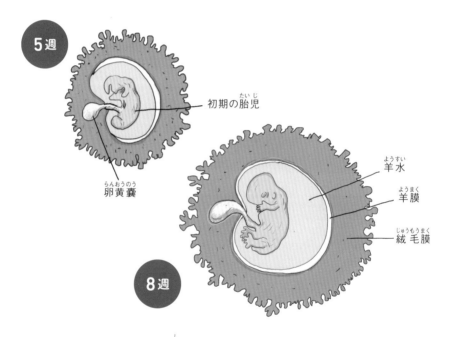

5週

初期の胎児

卵黄嚢

羊水

羊膜

絨毛膜

8週

2カ月目には、体に占める頭の割合が大きくなってきます。脳と目、口と耳が発達してきます。この時期の胎児の大きさは、およそ2センチ。お腹や肺、腸、筋肉、手足の指といった重要な器官や部位ができあがっていきます。ほんの小さな赤ちゃんにも、まぶたがあります。

初め、赤ちゃんは卵黄嚢という小さな袋から栄養をもらいます。胎児が成長すると、胎盤も発達し、卵黄嚢の代わりに栄養をあたえる役割を担います。卵黄嚢は自然と消えていきます。

子どもが成長するにつれ、胎盤も子宮も広がり、スペースが広がっていきます。

最初の3カ月は、胎児はまだ非常に小さく、お腹もあまり大きくなってきていないので、妊娠していると見た目では分かりづらいです。お腹を押したり、超音波検査で見ることで、赤ちゃんの様子を調べることができます。およそ20週間で、男の子か女の子か、エコーで確認できます。出産の時まで驚きをとっておきたいのであれば、エコーで先に知らなくてもいいです。

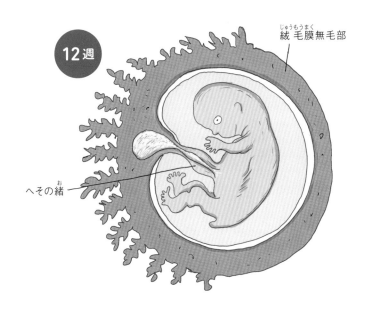

12週

絨毛膜無毛部

へその緒

妊娠中期

　赤ちゃんはこの時期には胎芽（たいが）ではなく、「胎児（たいじ）」と呼ばれるようになります。生命に関わる重要な器官と体の部位はすべて形成され、いよいよ胎児は大きく育ち、器官が成長していきます。

　妊娠（にんしん）中期であるこの時期に、赤ちゃんは急速に成長し、3センチから30センチにまでなるのです。

　胎児は8週目には、もう動きはじめますが、妊婦（にんぷ）が胎動（たいどう）を感じるのは、20週あたりになってからです。初めはお腹のなか（なか）でお魚が動きまわっているような、おもしろい感覚がします。

　6カ月目には、胎児が親指を吸いはじめます。

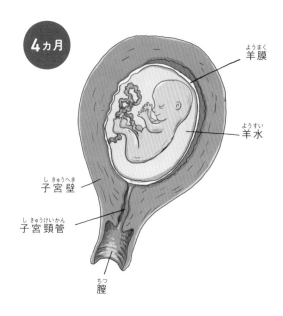

4ヵ月

羊膜（ようまく）

羊水（ようすい）

子宮壁（しきゅうへき）

子宮頸管（しきゅうけいかん）

膣（ちつ）

妊娠後期

　赤ちゃんは外の世界でも生きられるよう、大きく成長します。
　赤ちゃんは子宮^{しきゅう}ぎりぎりの大きさになります。妊婦は足で蹴^けられたり、お腹のなかで赤ちゃんがどんなふうに横になっているのかまで、時に感じることができます。

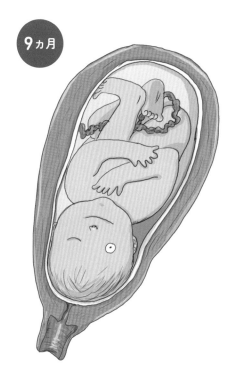

9ヵ月

赤ちゃんは生まれるまでに、頭が子宮口のそばに来るように、くるっとまわります。

なかにはまわらずに、逆さまで生まれる子もいます。これを「逆子」と言います。逆子の赤ちゃんは出産の時、首が引っかかりやすくて、ちょっと大変です。

妊娠の最終月に、早産の赤ちゃんを、鉗子を使って子宮の外に引き出すこともあります。

生まれたての赤ちゃんは、重さおよそ 3.5 キロ、体長はおよそ 51 〜 52 センチです。赤ちゃんはちょっとしたことで、大きくも小さくもなりえます。これは親の体格や妊娠期間のどの時期で生まれたかによります。出産予定日は、お医者さんが妊婦の最終月経の開始日から、このあたりに生まれるでしょうと割り出した予定日で、最後に月経が来た日から数えて 40 週後です。

出産

妊娠した女性が出産予定日に近づくと、女性はそろそろ産まなくてはと心積もりをします。ですが、出産予定日というのはあくまで計算（上の見込み日）で、それより前にも後にも、出産がはじまることがありえます。

出産がはじまると、女性は陣痛を感じます。陣痛とは、赤ちゃんを外に押し出すのを助けるために、子宮の筋肉が収縮して起き

るものです。

　妊娠の最後の期間、女性は前駆陣痛を感じます。前駆陣痛はそれほど痛くありませんが、子宮が不規則に収縮するものです。

　それに対して、陣痛は規則的で、しかも痛いです。最初、弱かった痛みも、段々と激しく、間隔も短くなってきます。この収縮によって、赤ちゃんが子宮頸管まで押しやられます。

　出産の前に、陣痛に耐えられるように、呼吸の仕方を習います。病院も痛みを和らげる薬を用意してくれます。

　出産にかかる時間は平均5時間ぐらいですが、それよりも短いことも、長いこともありえます。

1 出産の最初に、子宮頸管が広がってきます。子どもを外に押し出すのに十分な大きさまで開きます。子宮頸管が広がるのを助けるのは、陣痛です。

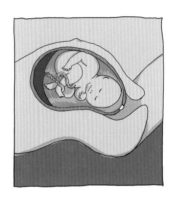

2 陣痛の間隔が次第に短くなってきて、子宮頸管と子宮口はおよそ10センチまで広がります。

　出産の間、卵膜が破れ、羊水が流れ出します。これを「破水」と言います。破水によって出産がはじまることもあれば、陣痛の途中で破水することもあります。

3 ようやく女性が赤ちゃんを産めました。陣痛と腹筋の力で、
赤ちゃんを外に押し出すことができたのです。

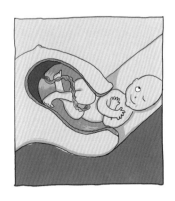

4 赤ちゃんが生まれると、胎盤も出てきます。赤ちゃんがもう
胎盤を必要としないので、外に出さなくてはならないので
す。胎盤が外に出ると、子宮はさらに収縮します。

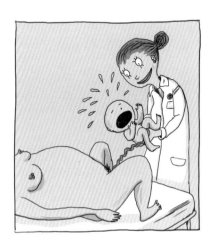

5 出産の後にもまだ陣痛が来ることもあります。これを「後陣痛」といいます。後陣痛は出産の数日後に起き、激しい痛みを伴います。これは子どもが生まれた後に、子宮が再び収縮する印です。

　胎盤と赤ちゃんは、へその緒でつながっています。赤ちゃんが生まれ、胎盤を外に出したら、へその緒を切って、出産は終わりです。

● 妹か弟が生まれるのを待つお兄ちゃん、お姉ちゃんは、妊娠の経過を追うのをおもしろく感じるでしょう。ですがこの時期、母体に劇的な変化が起きます。妊娠中は体が変化しやすく、肉体的にも、精神的にも疲れやすいことを子どもに説明するようにしましょう。

● 家族が増える心の準備をできるよう、できるだけ上の子も巻き込みましょう。お兄ちゃん、お姉ちゃんになるのはすばらしいことですが、大きな変化に慣れていく必要があります。

● なかには、出産の時に上の子も立ち会わせる家庭もあります。上のお子さんは、お母さんが痛みに苦しんでいるのを見ても大丈夫か、よく考えましょう。出産の時に、お母さんが出産以外のことに気づかう余裕があるとはかぎりません。そのため両親ともに、出産以外の事柄に十分そなえておくべきです。前の出産が安産で、お子さんが出産を見届けるのに十分成熟しているのであれば、すばらしい経験になるでしょう。上の子が出産に立ち会うのであれば、入念に準備し、後でその体験について話す機会を何度かもうけるとよいでしょう。

11 避妊 ·····································

避妊具の種類

　セックスするとき、妊娠（にんしん）しないようにするには、避妊具（ひにんぐ）を使う必要があります。避妊具には、男性向けと女性向けの両方があります。

　男性向けの避妊具には、コンドームがあります。コンドームとは、セックスをする前にペニスにつける細長い風船のようなものです。コンドームの先は、精子がたまるように、小さく出っ張っています。

　女性向けの避妊具には、経口避妊薬などがあります。経口避妊薬には、女性を妊娠しづらくさせるホルモンが含（ふく）まれています。

　女性は子宮内（しきゅう）避妊器具（IUD）も使えます。子宮内避妊器具は、受精卵（じゅせいらん）の着床（ちゃくしょう）をさまたげます。子宮内避妊器具はお医者さんのもとで装着してもらえ、妊娠をさまたげます。

　避妊具はほかにもいろいろあります。つぎのページを見てみましょう。

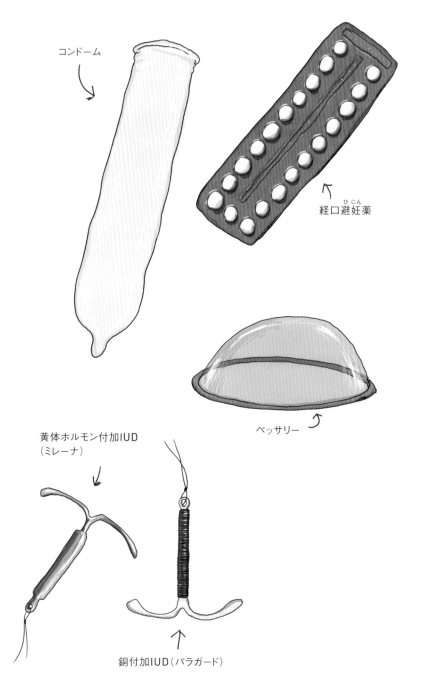

コンドーム

経口避妊薬

ペッサリー

黄体ホルモン付加IUD
（ミレーナ）

銅付加IUD（パラガード）

おぼえておこう

　コンドームは古くなると、破れてしまうことがあります。コンドームが破れると、性病がうつったり、妊娠したりします。なので使用期限をきちんとチェックしておきましょう。

　コンドームを破かないよう、慎重に開けましょう。爪を立てたり、はさみを使ったりするのはやめましょう。

　コンドームは一度、裏返ってしまったら、もう使えません。あたらしいコンドームを出して使いましょう。

　破裂してしまうので、空気は入れないように。

　射精後、ペニスがやわらかくなる前に、コンドームを外さなくてはなりません。そうしないと、ワギナのなかにコンドームがのこってしまう危険性があります。ペニスを引き抜く時、コンドームの端を押さえましょう。

コンドームのつけ方

1　ペニスが硬（かた）くなっていないと、
　コンドームはつけられません。

2　ペニスの表面の皮（陰茎包皮（いんけいほうひ））を
　押（お）し下げます。

3　コンドームをすこし巻き下ろし、
　先端（せんたん）から空気を抜（ぬ）きます。

4　コンドームを根元まで
　巻き下ろしましょう。
　これで準備完了です。

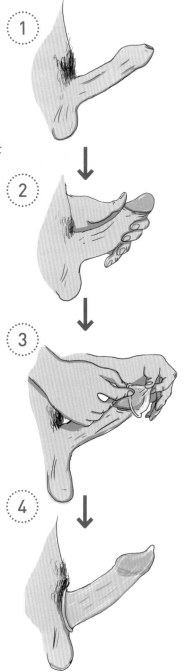

セックスをする際には、妊娠だけでなく、性病からも身を守らなくてはなりません。性病は感染した相手とセックスするとうつる病気のことです。コンドームはクラミジアやヒトパピローマウィルス感染症、ヘルペスやヒブ感染症などの性病を予防する唯一の避妊具です。不特定多数の人と同時期にセックスする人は、コンドームを使わなくてはなりません。

安全でないセックス

まだ子どもを持つ準備ができていないうちは、避妊具を使わずにセックスするのはやめましょう。

避妊具を使わずにセックスをしたなら、ちゃんと生理が来るか様子を見るか、妊娠検査薬で妊娠したかを調べなくてはなりません。生理が終わった直後、または生理が来る直前ならば、妊娠しにくいです。これを「安全日」と呼びますが、ぜったいに妊娠しないわけではありません。とくに若いころは、生理の周期は不規則で、排卵がいつ来るかも確かではありません。

きちんと避妊具を使わないと、男性も女性も、性病にかかってしまうおそれがあります。万一かかったら、できるだけ早く治療を受けましょう。

性病について

ヒトパピローマウィルス感染症や尖圭コンジローマは、もっとも一般的な性病です。ヒトパピローマウィルス（HPV）は、性器や肛門のまわりに付着します。単体でつく場合もあれば、まとまってつく場合もあります。普通は痛みを伴いませんが、ただれたり、かゆみが出たりします。

HPVワクチンは、ヒトパピローマウィルスからわたしたちを守ってくれます。

ヒトパピローマウィルスはクリームで治療したり、お医者さんのもとで除去することができます。

クラミジアも、非常に一般的な性病です。かかっても気づかないことがあるので、知らず知らずのうちに、人にうつしてしまうこともあります。クラミジアにかかると、排尿時にひりひりしたり、おりものの量が増えたりします。女性は血尿が出て、男性は尿道がかゆくなります。

クラミジアをきちんと治療しておかないと、後々、妊娠に問題が生じます。

クラミジアは抗生物質で治療できます。

ヘルペスは一度かかると、一生付き合いつづけなくてはならない性病です。ヘルペスにかかると、まずは小さな水疱ができ、ひ

りひりし、傷になります。ヘルペスは発症時、いちばん人にう
つしやすいです。ヘルペスはずっとできているわけではありませ
んが、ほかのウィルスにより免疫力が弱まった際、また繁殖し
ます。

　ヘルペスの症状は、錠剤やクリームで和らげられます。

HIV（ヒト免疫不全ウィルス）感染症は免疫力を下げる性病で
す。治療しないで放置しておくと、AIDS（エイズ）になること
もあります。HIV 感染者の治療をする余裕のない国もいまだに
あり、そのような国では、HIV は命に関わる病気です。HIV は
きちんと治療すれば、命を落とすことはありませんが、一生、治
療を受けなくてはなりません。

　男性同士でセックスする人たちは、HIV の感染リスクが高い
です。HIV にかかると、疲れやすくなったり、体重が減少したり、
気管支炎や皮膚病になったり、熱が出たり、下痢になったりし
ます。

●セックスしはじめる年齢になる前に、妊娠や性病についての
情報をあたえるようにしましょう。

●お子さんにどの避妊法が合っているか、医師からアドバイスを
もらうことができます。医師には守秘義務があると、お子さん
に教えてあげましょう。大人になりつつあるお子さんのプライ
バシーを尊重しましょう。

●自分自身と相手をだいじにするよう、お子さんと話しましょう。

12 ジェンダーと セクシャリティ

··

ありのままの自分でいる権利

　わたしたちにはみな、ありのままの自分でいる権利がありま
す。なにが正しく感じられるか、決めるのはあなたです。あなた
がどの人に魅力を感じるか、あなたがどんな体験をするか、選ぶ
権利は 100 パーセントあなたにあります。ほかのみんなとおな
じように感じるとはかぎりませんし、自分自身のことを知るのに
時間を使うのは、重要です。つぎに示すのは、さまざまなジェン
ダーやセクシャリティについてのリストです。人生はたくさんの
すばらしい可能性と体験に満ちていると気づくことができるはず
です。

ヘテロセクシャル

　ヘテロセクシャルの人は、自分とはべつの性の人に惹かれます。

トランスジェンダー

　トランスジェンダーはジェンダーを指すのであって、セクシャ
リティを表す言葉ではありません。トランスジェンダーの人は、
生まれもった自分の性別に違和感をおぼえています。たとえば、

自分のことを男の子みたいに感じる女の子が、男の子に惹かれる
場合もあります。トランスジェンダーの人のなかには、自分の心
に合った性別に体を変えるため、手術する人もいます。

ホモセクシャル

　ホモセクシャルの人は、同性に惹かれます。

バイセクシャル

　バイセクシャルの人は、どちらの性別にも惹かれます。

アセクシャル

　アセクシャルの人は、セックスをしたいとまったく、またはほ
とんど思いません。

パンセクシャルまたは両性具有

　パンセクシャルまたは両性具有の人は、自分のことを男性とも
女性とも感じません。もしくは時に男性だと感じ、時に女性だと
感じたりと、ケースはさまざまです。

シスジェンダー

　シスジェンダーの人は、生まれついた性別が自分に合っている
と感じています。

バイジェンダー

バイジェンダーは男性、女性両方の性別を自認(じにん)します。

インターセックス

はっきりとした性別がない、または両方の性別の特徴(とくちょう)をそなえて生まれた人。

クィア

自分のセクシャリティまたはジェンダーを決めたくない人。

ポリアモリー

複数の恋愛(れんあい)関係を同時に築ける人。

フェティシズム

他者の身体的パーツや物に性的興奮をおぼえること。

保護者の
みなさんへ

● お子さんが自分のセクシャリティについて話すのをよく躊躇し
たり、拒絶したりしているのを見て、お子さんのセクシャリティ
や性自認が揺れていると感じた場合、問いつめたくなるかもし
れません。ですが、あせりは禁物です。自分のセクシャリティに
ついて知るには、時間がかかるものです。

● 自分がほかの子とちがっているかもしれないと感じる子は、自
分の感情について理解するのはむずかしいかもしれません。
これには勇気が必要です。自分の感情をほかの人に伝える
には、まずは自分で理解する必要があります。心を開いて、自
分は一体どんな人間なのか話すには、自信も必要です。

● いつでも話をする準備ができていて、セクシャリティや感情に
ついて話すのに抵抗がないと、お子さんに自然なタイミングで
示しましょう。お子さんが自ら進んで話すのであれば、ともに話
をできる状況を用意しておきましょう。その話題について話し
たそうにしている様子が見られたら、会話を促しましょう。尋ね
はしても、嫌がっていたらそれを尊重し、無理じいはやめましょ
う。伝統的な性役割以外にも生き方はあるのだと、お子さん
に示しましょう。

13 ポルノと ソーシャル・メディア

ポルノ

ポルノは人がセックスしている様子を撮影した映像、または写真のことです。

ネット検索をしていると、すぐポルノに行き当たるでしょう。実際のところ、ネットをしていると嫌でもポルノは目につきます。いつポルノの写真や映像がぽんとあらわれるか分かりません。検索用語が誤って認識され、思いもよらない画像がふいにあらわれることも。

不愉快なものを目にしてしまう危険が常にあります。もしそういうことがあれば、大人にいつでも相談しましょう。

ポルノは時におもしろそうに見えるかもしれません。セックスについてもっと知りたくて、ポルノを探求したくなるかもしれません。ただ、セックスとポルノはまったく別物です。映画の世界と現実が異なるように、セックスとポルノもちがっています。

ソーシャル・メディアと写真

あなたは自分の写真が断りなく、いつの間にかシェアされても あたりまえに思う世代かもしれません。あなたは仲良しグループ に自分の写真をシェアしたり、1人の友だちに写真を送ったりし たことがあるでしょう。ほかの人と自分の人生をシェアする時、 たいせつなのは、それが安全な枠組みのなかで行われることです。 あなたが現実にした体験であろうと、ネット上の体験であろうと。 あなたが現実の友人と思考や体験を共有するのは、相手のことを 信頼しているからです。それはネット上でも変わりありません。

恋人に自分の体の写真を送りたいと思ったら、あらかじめよ く考えてみる必要があります。おたがいのことをよく知っていて、 相手に安心感をおぼえているのであれば、それは愚かな考えとは 言い切れません。

大人のなかにも、パートナーに裸の写真を送る人がいます。こ れをするには、おたがいのことを信頼していて、ぜったい相手が 第三者に写真を見せないと確信を持つ必要があります。

でも残念なことに、本人の許可なく裸の写真を、ほかの人に見 せてしまう人がいます。これは法律違反です。デンマークでは 15歳未満の人が複数の人に写真をいっせいに送るのも、法律で 禁じられています。それは犠牲者にとっておそろしい体験です。 写真を一度送ってしまえば、返してもらうのは不可能だとおぼえ

ておきましょう。その写真がだれに見られるかも分かりません。

　人間関係や気持ちは変わることがあります。恋人に送った写真は、その恋人と別れた後でものこります。

個人の写真はプライベートなもの

　セックスが個人的なものであるのとおなじく、個人の写真もプライベートなものです。もしもだれかが写真をシェアしたとして、それを見てもいいのは、写真を受け取った人だけです。この原則を守ることがだいじです。たとえすてきな恋人を見せびらかしたくても。

　あなた宛てでない裸の写真を、ほかの人から受け取ったら消しましょう。また本人の意志に反して、裸の写真をシェアするようなグループからはぬけましょう。だまって写真を見るのは、いじめを見過ごすのと変わりありません。

　恋人との関係が良好で敬意に満ちているなら、恋人に裸の写真を送って、時に問題ないこともあります。

保護者の
みなさんへ

●安全なネットの使い方を子どもに教えましょう。現実の世界、ネットの世界両方の信頼(しんらい)について話しましょう。出会う人が信頼できる相手か見極(みきわ)められるように、ネットでも相手を信頼できるか見極める術(すべ)を学ばせましょう。ネットでは、だれと交流しているのか分かりづらいので、なおさら注意が必要です。

●ネットで不愉快(ふゆかい)なものに出くわしたら、いつでも報告するよう、お子さんに伝えましょう。けっして叱(しか)らないでください。子どもが、自分が悪いのだと感じてしまうと、つぎはもう話してくれなくなるでしょう。

●わたしたちの子どもは、大人たちが不慣れなデジタル世界で生まれ育ったのです。ネット上の「友だち」という大きなグループと、どうして人生のさまざまな事柄(ことがら)をシェアしなくてはならないのか、なかなか親世代には理解できないかもしれません。ですがソーシャル・メディアが提供してくれるあらたな可能性をやみくもに否定しても仕方ありません。子どもを導きたいのであれば、子どもの現実を理解しようとする必要があります。なにも分かっていない人から、アドバイスをもらおうとする人はいないでしょう。

14 子どもが ほしくなったら

不妊治療について

　すでに知っているかもしれませんが、セックスをしたからといって、赤ちゃんができるとはかぎりません。なかには、医学の助けなしには、赤ちゃんをつくれない人もいるのです。

　赤ちゃんができない理由はさまざまです。

1 精子が速く泳げず、卵子（らんし）にたどり着けないから。

2 卵子のなかには、受精しないものもある。

3 子どもがほしいけれど、恋人（こいびと）がいなかったり、恋人が同性だったりするから。

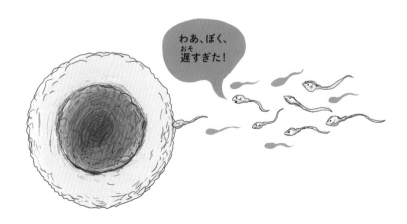

幸い、子どもをつくるのに、医学の助けを借りることもできます。これを「不妊治療」と呼びます。

妊娠検査とおなじく、排卵検査もできます。排卵検査をすることで、女性がいちばん妊娠しやすいタイミングを知れます。

妊娠が困難な人は、不妊治療を受けるという選択ができます。その際、人工授精と呼ばれる方法が用いられます。人工授精では、精子を洗浄し、卵子と結合しやすくします。女性が排卵すると、その精子を女性の卵管に入れます。

時々、卵子と精子を出会わせるのに手助けが必要なことがあります。そのような手助けは、体の外で行われます。卵子が女性から取り出され、精子によって受精されます。その後、卵子が子宮にもどされます。これを「顕微授精」と言います。

精子の質が悪いと、受精できません。この場合、ドナー（精子提供者）から精子を提供してもらえます。ドナーは、自分の精液

を病院に提出します。その精子を、受精可能な卵子があると分かっ
ている女性のなかに入れます。

　受精しづらい卵子を持つ女性も、べつの女性から卵子をもらう
ことができます。この作業も、また病院で行われます。

養子

　家族になる方法は複数あります。不妊治療を受けたくない、も
しくは治療の効果が出ない場合は、すでに生まれた子どもをもら
うという選択をとれます。これを「養子」と言います。

なかには、自分の子どもを育てられない親もいます。病気や死、貧困（ひんこん）など、理由はさまざまです。養子の大半は、非常に貧しい国から来ます。（訳注：国際養子縁組（えんぐみ）はアメリカやヨーロッパの先進国で多く行われている）

子どもがほしくない時

　避妊（ひにん）をきちんとせずセックスしたなどの理由で、妊娠（にんしん）してしまわないか不安な女性は、アフター・ピルを用いることができます。アフター・ピルは、セックスをした翌日に服用します。妊娠したか、はっきりしない場合も用いられます。

　アフター・ピルは、排卵（はいらん）を遅（おく）らせたり、防いだりできるホルモン剤（ざい）です。アフター・ピルは子宮内膜（しきゅうないまく）に受精卵（じゅせいらん）が着床（ちゃくしょう）しにくくすることで、妊娠をさまたげます。

　妊娠したくないのに、妊娠してしまう場合もあります。この場合、胎児（たいじ）が大きくならないうちに、取り除くことができます。このようにして、妊娠を中断させることを「堕胎（だたい）」と言います。
　胎児が非常に小さい場合、胎児を子宮（しきゅう）から出すよう促（うなが）す薬を使えます。この時、胎児は生理の経血（けいけつ）のように外に出されます。
　胎児が大きくなりすぎてしまった場合は、妊婦（にんぷ）に麻酔（ますい）をかけて、手術で胎児を体の外に出します。

堕胎について意見はさまざまです。あまり望ましくないという人もいれば、若すぎたり、親になる準備ができていないまま妊娠してしまった場合には、よい解決策だと言う人もいます。いずれにせよ、堕胎は避妊とはまったく別物です。堕胎にはさまざまな感情が伴うものです。

　また、堕胎は「流産」ともちがいます。流産とは、胎児に問題があり、生き延びられなかったことを言います。流産はたいてい、妊娠初期に起こります。

保護者のみなさんへ

● 不妊治療を受けて生まれた子に、治療のことをいつ明かしたらよいでしょう? それはかんたんではなく、先送りにしたい会話に思えるかもしれません。ですが、いちばんいいのは、子どもの年齢に合った言葉を使い、すぐに会話をはじめることです。子どもの理解力に合わせて、常に話しつづけましょう。また年々、話を発展させていきましょう。

● どんな人にも、自分自身の物語を持つ権利があります。人によっては、両親しか知らない話が隠れている場合もあります。その話を子どもに適切な方法で伝えることがだいじです。

用語解説

- **遺伝子**[いでんし] ‥‥‥‥‥子どもの性別や見た目を決める遺伝情報。
- **陰茎包皮**[いんけいほうひ]‥‥亀頭を守る皮。
- **陰嚢**[いんのう] ‥‥‥‥‥‥男性の股間にぶら下がっている、
  睾丸の入った袋。
- **浮気**[うわき] ‥‥‥‥‥‥‥恋人以外の人と秘密でキスや
  セックスすること。
- **会陰部**[えいんぶ] ‥‥‥‥‥肛門とペニスまたは膣の間の部分。
- **エストロゲン** ‥‥‥‥‥女性ホルモン。
- **オーガズム** ‥‥‥‥‥‥セックス中などに、もっとも気持ちよく感じる
  クライマックス。男性の場合、射精する。
- **オナニー** ‥‥‥‥‥‥‥‥自分の性器を触ること。
  マスターベーションとも呼ばれる。
- **おりもの**‥‥‥‥‥‥‥‥‥子宮頸管から出される黄白色の液体。
- **亀頭**[きとう] ‥‥‥‥‥‥‥ペニスの先端の部分。陰茎亀頭とも言う。
- **境界線**[きょうかいせん] ‥‥‥やめてと言う時、その人は境界線を引く。
- **クリトリス** ‥‥‥‥‥‥‥女性の性器でとても感じやすい性感帯。
- **ゲイ** ‥‥‥‥‥‥‥‥‥‥‥ほかの男性に惹かれる男性。
- **経血**[けいけつ] ‥‥‥‥‥‥生理の際、おりものといっしょに排出される
  血液。

●経口避妊薬 [けいこうひにんやく]

　　　　　　　　　　妊娠しないようにする予防薬。

●月経カップ [げっけいー] ‥‥ 生理の時に膣に装着するゴム製のカップ。

　　　　　　　　　　月経カップに血がたまり、

　　　　　　　　　　ナプキンやタンポンとおなじように使える。

●月経前症候群 (PMS) [げっけいぜんしょうこうぐん]

　　　　　　　　　　生理前、肉体的、精神的に

　　　　　　　　　　調子が悪くなること。

●恋 [こい] ‥‥‥‥‥‥‥ 相手に友だち以上の好意をおぼえること。

●睾丸 [こうがん] ‥‥‥‥‥ 男性器のうち、精子をつくる部位。

●肛門 [こうもん] ‥‥‥‥‥ 排泄物が出る場所。

●コンドーム ‥‥‥‥‥‥ 性病や妊娠を防ぐため、

　　　　　　　　　　男性がつける避妊具。

●Gスポット ‥‥‥‥‥‥ 刺激することでオーガズムに達しやすい

　　　　　　　　　　膣内の部分。

●子宮 [しきゅう] ‥‥‥‥‥ 女性の性器の内側の部分。

●子宮頸管 [しきゅうけいかん]

　　　　　　　　　　子宮の下のほうにある管状の部分。

●子宮頸管粘液 [しきゅうけいかんねんえき]

　　　　　　　　　　妊娠中、子宮頸部を

　　　　　　　　　　バクテリアから守ってくれる粘液。

●子宮内避妊器具 [しきゅうないひにんきぐ]

　　　　　　　　　　女性向けの避妊具。医師によって

　　　　　　　　　　子宮に取り付けられ、妊娠を防ぐ。

●**思春期**[ししゅんき]‥‥‥‥ 子どもから大人へと成長していく
途中の期間。

●**嫉妬**[しっと]‥‥‥‥‥‥ 好きな人をほかの人に
とられてしまうのではないかと怖くなること。

●**失恋**[しつれん]‥‥‥‥‥ 恋が叶わなかったこと。

●**射精**[しゃせい]‥‥‥‥‥ ペニスから精液が出ること。

●**周期**[しゅうき]‥‥‥‥‥ おなじことが繰り返される一定期間のこと。
月経からつぎの月経までの周期は約1カ月。

●**出産**[しゅっさん]‥‥‥‥‥ 子どもが生まれること。

●**出産予定日**[しゅっさんよていび]
子どもが生まれるだろうと予想される日。

●**小陰唇**[しょういんしん]‥‥‥ 膣口のまわりのひだのような部分。

●**助産師**[じょさんし]‥‥‥‥ 出産の手助けをしてくれる病院などの職員。

●**処女／童貞**[しょじょ／どうてい]
セックスをしたことのない人。

●**処女膜**[しょじょまく]‥‥‥‥ 存在しない。かつては、膣の入り口に
膜があるとされていたが、実際にはない。
膣の入り口にあるのは膜ではなくひだ。

●**陣痛**[じんつう]‥‥‥‥‥ 産道の子どもを押し出す子宮の収縮。

●**精液**[せいえき]‥‥‥‥‥ 男性の精子を含んだ液体。

●**性感帯**[せいかんたい]‥‥‥ 体のなかで、性的に感じやすい部分。

●**性器**[せいき]‥‥‥‥‥‥ ペニスと膣。

●**性交**[せいこう]‥‥‥‥‥ セックスすること。

●**性病**[せいびょう]‥‥‥‥‥ セックスによりうつる病気。

●生理不順[せいりふじゅん] ・・・ 予定とはちがう時期に生理が来ること。

●前戯/後戯[ぜんぎ/こうぎ] ・・・ セックスの前後、
相手の体を触ったりすること。

●前立腺[ぜんりつせん] ・・・・・・ 尿道のまわりにあって、
精子が泳ぐことのできる液体をつくる腺。

●胎芽[たいが] ・・・・・・・・・・・・ 早い段階の胎児。

●胎盤[たいばん] ・・・・・・・・・・・ 胎児のための「お弁当」。

●堕胎[だたい] ・・・・・・・・・ 子宮から胎児を人工的に取り出すこと。
堕胎をすると、胎児は亡くなってしまう。

●タンポン ・・・・・・・・・・・・・ 生理の時に膣内で血を吸う吸収体。

●膣[ちつ] ・・・・・・・・・・・・ 女性の性器。

●ディープ・キス ・・・・・・・・・ 舌と舌をからませながらするキス。

●テストステロン ・・・・・・・・ 男性ホルモン。

●ドナー ・・・・・・・・・・・・・・・ 精子を提供する男性、
または卵子を提供する女性。

●ナプキン ・・・・・・・・・・・・ 生理になった時に、
下着につける生理用品。

●尿道口[にょうどうこう] ・・・・・・ 尿が出る場所。

●妊娠期間[にんしんきかん] ・・・ 妊娠中の40週間は、妊娠初期、
中期、後期の3期に分けられる。

●妊婦[にんぷ] ・・・・・・・・・・・ 子どもを身ごもっている女性。

●排卵[はいらん] ・・・・・・・・・・ 生理と生理の間の期間に、
卵巣から卵子が排出されること。

●ヒトパピローマウィルス（HPV）ワクチン

子宮頸癌や尖圭コンジローマや、
そのほかの珍しい癌から守ってくれる
ワクチン。

●避妊［ひにん］‥‥‥‥‥ 妊娠を予防すること。

●フェティシズム ‥‥‥‥ 他人の体の部位や物に、性的興奮を
おぼえること。たとえば靴や下着など。

●フェラチオ ‥‥‥‥‥‥ 男性のペニスを口に入れること。

●不正出血［ふせいしゅっけつ］‥ 生理以外の時期に膣から血が出ること。

●不妊治療［ふにんちりょう］‥‥ 妊娠するのに助けが必要な時、
受ける治療。

●へその緒［－お］‥‥‥‥ 赤ちゃんと胎盤をつなぐもの。

●ペッティング ‥‥‥‥‥ キスしたり、おたがいの全身を触ること。

●ペニス ‥‥‥‥‥‥‥ 男性の性器。

●保育器［ほいくき］‥‥‥‥ 早く生まれてしまった子どもの
呼吸を助ける機械。

●ポルノ ‥‥‥‥‥‥‥ セックスをしている人の写真または動画。

●ホルモン ‥‥‥‥‥‥ 体の機能を調整する物質。

●夢精［むせい］‥‥‥‥‥ 男の子が性的な夢を見て、
最終的に射精すること。

●羊水［ようすい］‥‥‥‥‥ 胎児がいる子宮のなかにある液体。

●欲情［よくじょう］‥‥‥‥‥ セックスしたいと思うこと。

●卵管［らんかん］‥‥‥‥‥ 卵巣と子宮をつなぐ管。
卵子が発育するのは、卵管のなか。

●**卵巣**[らんそう] ‥‥‥‥‥‥ 卵子をつくり、貯蔵する女性器の一部。

●**流産**[りゅうざん] ‥‥‥‥‥ 胎児が育たずに、妊娠が続かないこと。

●**レズビアン** ‥‥‥‥‥‥‥ ほかの女性に惹かれる女性。

●**ワギナ** ‥‥‥‥‥‥‥‥ 女性の性器。

参考

ウェブサイト

●sexogsamfund.dk
（「セックスと社会」デンマークの性教育情報提供機関のサイト）

●sundhed.dk（デンマーク国民が利用できる健康情報サイト、データバンク）

書籍（いずれも未訳）

●*Kvinde kend din krop*（『女たちよ、自分の体を知れ』）

●Pernille Toft, *Helt o.k.*（パニッレ・トフテ『全然、問題ない』）

●Julie Schlüter Valentin, *Klar parat pubertet*
（ユリー・シュルター・ヴァレンチン『思春期への準備万端』）

●Clara Henry, *Ja, jeg har mens - og hva' så?*
（クラーラ・ヘンリー『ええ、わたしには生理が来るわ、それがなに?』）

●Juno Dawson, *This Book is Gay*
（ジュノ・ドーソン『この本はゲイです』）

●Steve Parker, *The Reproductive System*
（スティーブ・パーカー『生殖系』）

著者について

サビーネ・レミレは

デンマークの作家。大人と子どもたちに向けて
30冊もの本を執筆してきました。
ラスムス・ブラインホイとコンビを組んだ
漫画『ミラ』シリーズの一巻が、
2018年クラウス・デローラン賞（国内最優秀新人賞）を
受賞しました。

ラスムス・ブラインホイは

デンマークのイラストレーター。
キム・フォップス・オーカソンをはじめ
デンマークを代表する作家たちの作品にイラストをつけてきました。
2007年文化省イラストレーター賞、
2016年ブリクセン賞など、多くの賞を受賞しています。
イラストを担当した
『北欧に学ぶ 好きな人ができたら、どうする?』が
晶文社から翻訳出版されています。

訳者あとがき

　この本が書かれたデンマークは、「性の先進国」というイメージを持たれることが多いようです。確かにこの国は、1973年の早い段階で堕胎の自由が法律で認められたり、1989年に同性婚が認められたりと非常に先進的です。ですが、この国でどんな性教育が行われているのか、何がデンマーク的かを、単純に定義するのはとても難しいようです。そのひとつ目の理由は、性教育というのがWHO（世界保健機関）、UNESCO（国際連合教育科学文化機関）、IPPF（国際家族計画連盟）といった機関による国際指針や提言によるところが大きいからです。ふたつ目の理由は、デンマークでは教科書が民間会社から発行され、しかも国による検定はなく、どの教科書を使うかは学校や先生の裁量に任される部分が大きかったり（ただし性にまつわる権利、個人の境界線、感情、規範とジェンダー、身体、生殖、性の健康、セクシャリティなどについて、基礎学校の0〜3年生、4〜6年生、7〜9年生それぞれで、何を学ぶべきか大枠を示す「共通目標」いうものは政府により示されています）、児童書や映画、ドラマといった多様な教材が学校や先生の裁量で自由に選ばれ使用されるため、性教育の内容や質は学校の力の入れようや

教師の指導力により開きが出るためです。

　ただ、おおむねの傾向は、この本から知ることができます。例えば大人や青少年が性の喜びを享受する権利が繰り返し説かれていたり、恋愛、交際というものが、自然な人間の生の一部として描かれていたり、失恋した時の心のケア、対処の仕方に多くのページがさかれている点が特徴的です。また不妊やマスターベーション、ポルノといったセンシティブなテーマについても、真正面から書かれています。作者は性にまつわる悩み、疑問を見ないふりせず、それどころか肯定的に受け止め、悩み相談にのってくれているかのように優しくオープンに語りかけます。

　1900年代の初め、デンマークの学校、社会、家庭では、性行為に伴う責任や純潔、性の道徳が子どもたちに説かれ、性に興味を持ちすぎることへの警鐘が鳴らされました。しかし戦間期、反権威主義の考えが、デンマークの子どものしつけ、教育に取り入れられるようになると、青少年の性の自己決定権の重要性を説く急進的な性教育も推し進められました。第二次世界大戦後には、性病を防ぐ知識を子どもたちに身につけさせる必要性が強調されました。さらに1970年、基礎学校法により、基礎学校（6歳から10年間の義務教育。日本の小・中学校に当たる）における性教育が必修化しました。今も基礎学校の0〜9年生は、「健康と性教

育と家族学」という必修科目の中で、性教育を学んでいます。また、1990年代にはHIV（ヒト免疫不全ウィルス）感染症がヨーロッパに広がったこと、クラミジアなどの性病が増加したことから、避妊具の使用を中心とした「安全なセックス」についての知識を育むことに重きがおかれるようになりました。2000年代の初めには、青少年のインターネットの使用が急速に増え、ポルノ画像、映像、アダルト・サイトとの付き合い方がデンマークの性教育のホット・トピックとなりました。

　現在デンマークでは高校以降の性教育の義務化の必要性について議論されているところです。また教師の相談に応じる「教材センター」（性教育に限らず様々な教科でどの教材を使ったらいいか相談に応じたり、教材を貸し出したりする機関）や、性教育についての情報の提供、青少年の性にまつわる悩み相談なども積極的に行っている「セックスと社会」などのNPO団体もあり、すでにうらやましい限りですが、デンマークの基礎学校の教師3人に1人が性教育の教授法や教材の選択、学校の取り組みに不満をおぼえていたり（2012年、NPO団体「セックスと社会」による調査）、国による性教育の取り組みの強化が求められたりするなど、さらなる改善、研究、議論が重ねられている最中です。

　この本もそのようなデンマークの性教育の一翼を担っていて、

特に自分の体をここから先は触ってほしくない、自分のセクシャ
リティやプライバシーにここからは立ち入ってほしくないといっ
た境界線を示す術について子どもたちに分かりやすく書かれてい
ることが現地でも高く評価されています。また、親子で性につい
て話す際の言葉の選択について示されていますが、特にこの部分
がデンマークの親から評判で、家庭で性教育を行う際のヒントに
もなっているようです。性の話は数回だけ改まってするものでは
なく、日常の中で自然に繰り返し何度も親子で話し合うテーマと
も書かれていました。こんな本をずっと待っていたという声が新
聞書評などでも上がっています。日本の読者のみなさまも、ぜひ
お役立てください。

枇谷玲子

訳者について

枇谷玲子（ひだに・れいこ）

1980年、富山県生まれ。2003年、デンマーク教育大学児童文学センターに留学（学位未取得）。2005年、大阪外国語大学（現大阪大学）卒業。在学中の2005年に翻訳家デビュー。北欧書籍の紹介に注力している。主な訳書に、『北欧式 お金と経済がわかる本』（翔泳社）、『ウーマン・イン・バトル』（合同出版）、『自分で考えよう』『おおきく考えよう』『デンマーク幸福研究所が教える「幸せ」の定義』『話し足りないことはない？』『北欧に学ぶ 好きな人ができたら、どうする？』（晶文社）など。

好きな人に触れたくなるのは、どうして？
北欧に学ぶ恋愛とセックスの本

2020年8月30日　初版

著者 ········· サビーネ・レミレ

イラスト ······· ラスムス・ブラインホイ

訳者 ········· 枇谷玲子

発行者 ······· 株式会社晶文社
東京都千代田区神田神保町1-11　〒101-0051
電話 03-3518-4940（代表）・4942（編集）
URL http://www.shobunsha.co.jp

印刷・製本 ····· 株式会社太平印刷社

Japanese translation ©Reiko HIDANI 2020
ISBN978-4-7949-7189-0 Printed in Japan

本書を無断で複写複製することは、著作権法上での例外を除き禁じられています。
〈検印廃止〉落丁・乱丁本はお取替えいたします。